Das Grosse Schloss
Schiefundkrumm

Malachy Doyle

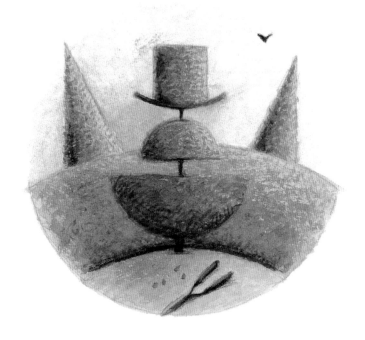

Illustrationen von Paul Hess

esslinger

An meinem fünften Geburtstag ging ich auf die Kirmes. Zum ersten Mal im Leben traf ich meinen Opa. So einen komischen kleinen Mann habt ihr noch nie gesehen.

Er trug einen gelben Zylinder,
eine pflaumenblaue Jacke,
eine kunterbunte Bundhose,
Socken mit großen Tupfen,
silberhelle Stiefel
und einen weißen Bart, der ihm
bis auf die goldene Gürtelschnalle reichte.

»Hallo, junger Mann«, sagte er. »Möchtest du mitkommen und bei mir im Großen Schloss Schiefundkrumm übernachten?«
Ich sah Mama an, sie lächelte zurück.
»Ja, lieber Herr«, sagte ich. »Das möchte ich schrecklich gern.«

Erst ging es auf einen steilen Hügel, dann wieder hinunter in ein tiefes
Tal, runter von der gepflasterten Straße und weiter auf einem Feldweg,
bis wir zu einer Stelle kamen, wo die Bäume links und rechts
des Weges standen und über ihm zusammenwuchsen.
Hinein in den Tunnel und heraus aus dem Tunnel gingen wir,
bis uns der Weg nach links auf eine Lichtung führte.

Da stand direkt vor uns ein kleines strohgedecktes Häuschen.
»Was sagst du dazu, junger Mann?«, fragte mein Opa.
»Wie meinst du das, lieber Herr?«
»Nun, wie würdest du das Ding da vorne nennen?«
»Oh, Haus oder Heim oder was auch immer, lieber Herr«, sagte ich.
»Das wäre aber falsch«, sagte er und lachte.
»Das ist doch das Große Schloss Schiefundkrumm.«

Er holte einen langen Schlüssel aus der Tasche,
schloss die Tür auf, ging hinein
und warf ein paar Holzscheite aufs Feuer.
»Und was sagst du dazu, junger Mann?«
»Das ist eine Flamme oder ein Feuer oder wie immer
man das nennen mag, lieber Herr.«
»Ganz und gar nicht«, sagte er.
»Das ist Glimmerglüh.«

Dann kam eine Katze herein und rekelte sich vor dem Feuer.
»Und was ist mit diesem kleinen Nichtsnutz?«, fragte mein Opa.
»Was sagst du dazu?«

»Nun, das ist ein Kätzchen, eine Katze oder was auch immer,
lieber Herr«, antwortete ich und streichelte ihr den Kopf.
»Nein, nein«, sagte er. »Das ist Gauner.«

Aber wenn hier nichts so heißt, wie ich es gelernt habe«, sagte ich,
»wie darf ich dich denn dann nennen, lieber Herr?«
»Oh, ich heiße Messer Meerrettich«, sagte er
und holte den Wasserkessel, um Tee zu kochen.
»Was kommt denn da aus dem Wasserhahn, junger Mann?«, fragte er.
»Das ist Wasser oder Regen oder was auch immer, lieber Herr.«
»Aber nein. Gluckgluck, so heißt das.«

Er zog seine silbernen Stiefel aus,
denn er war müde von der vielen Lauferei.
»So, und wie würdest du die hier nennen,
junger Mann?«
»Das sind deine Gummistiefel, deine Galoschen,
wie immer du sie nennen willst, lieber Herr«,
sagte ich und lachte.
»Nicht im Mindesten«, sagte er.
»Das sind meine Sandburgstampfer.«

»Und das hier?«, fragte er
und fegte den Staub von seinem Zylinder.
»Dein Helm, dein Hut oder was auch immer,
lieber Herr.«
»Schon wieder falsch«,
sagte er. »Das ist
meine Rübenröhre.«

Und jetzt«, sagte er, »da wir auf das Abendessen warten,
zeige ich dir, wo du schläfst.«
»Und, was sagst du dazu?«, fragte er auf dem Weg nach oben.
»Treppe oder Stufen oder was auch immer, lieber Herr.«
»Oh nein«, sagte er, »das ist der Holzbuckel.«

Oben am Treppenabsatz stieß er die Tür auf
und zeigte mir mein niedliches kleines Bett.
»Und was sagst du dazu, junger Mann?«
»Das heißt Bett oder Falle oder wie auch immer,
lieber Herr.«
»Keineswegs«, sagte er. »Das ist das Schlummer-
Cockpit, ist doch klar.«

Wir aßen zu Abend, molken die Kuh,
schlossen die Haustür ab und gingen schlafen.

Mitten in der Nacht schlich ich hinunter,
um mir etwas zu trinken zu holen.
Da entdeckte ich etwas Schreckliches.

Ich rannte zu seinem Zimmer.
Ich klopfte und klopfte.
»Was ist los, junger Mann?«, fragte er.
»Messer Meerrettich!«, rief ich.
»Komm aus deinem Schlummer-Cockpit, zieh
deine Sandburgstampfer an und deine Rübenröhre
und rutsch den Holzbuckel runter!
Gauner hat Glimmerglüh am Schwanz, und wenn wir
nicht schnell ein bisschen Gluckgluck holen,
brennt das Große Schloss Schiefundkrumm ab
bis auf die Grundmauern!«

Da fliegt er aus seinem Schlummer-Cockpit,
springt in die Sandburgstampfer
und knallt sich die Rübenröhre auf den Kopf.

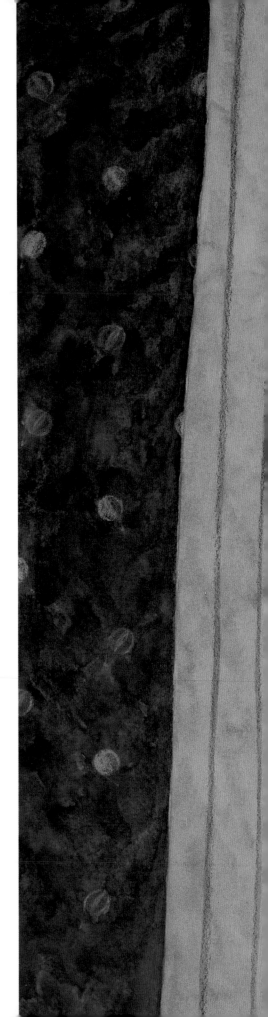

Dann rast er den Holzbuckel runter,
so schnell ihn seine Füße tragen.
Tatsächlich: Jaulend rennt
der arme kleine Gauner im Zimmer herum.

Messer Meerrettich schnappt sich einen Krug Gluckgluck
und schüttet ihn über Gauners Schwanz.

Zischend und zündelnd erlischt Glimmerglüh.
Und das Große Schloss Schiefundkrumm ist gerettet.

Am nächsten Morgen klopfte meine Mama wie verabredet an die Tür.
»Na, wie hat es dir im Großen Schloss Schiefundkrumm gefallen?«,
fragte sie lächelnd. »Ich wette, im Vergleich zur Stadt ist es ziemlich ruhig.«
»Oh, so ruhig nun auch wieder nicht. Eigentlich gar nicht ruhig.
Darf ich noch mal wieder kommen und bei Opa übernachten?«
Mama sah Meerrettich an und Meerrettich sah mich an.
»Ja«, sagten sie einstimmig, »klar darfst du das.«

Für Hannah – M. D.

Aus dem Englischen von Anne Brauner

Text © 1998 Malachy Doyle
Illustrationen © 1998 Paul Hess
Die Originalausgabe erschien 1998
unter dem Titel »The Great Castle of Marshmangle«
bei Andersen Press Ltd., London.

Alle Rechte der deutschsprachigen Ausgabe:
© 1999 Esslinger Verlag J.F. Schreiber · Esslingen, Wien
Anschrift: Postfach 10 03 25, 73703 Esslingen
ISBN 3-480-20537-2 (14644)